D1530811

Même les princesses doivent aller à l'école

Susie Morgenstern

Même les princesses doivent aller à l'école

Illustrations de Serge Bloch

Mouche
l'école des loisirs
11, rue de Sèvres, Paris 6ᵉ

© 1991, l'école des loisirs, Paris
Loi n° 49.956 du 16 juillet 1949 sur les publications
destinées à la jeunesse : mars 1991
Dépôt légal : janvier 1996
Imprimé en France par Aubin Imprimeur, Ligugé-Poitiers

For my Sandra,
a princess who has to
go to school too.

Les affaires allaient mal pour le roi Georges CXIV, d'ailleurs tous les autres rois avaient déjà fait faillite, et Georges n'était plus qu'un roi ratatiné au milieu d'un peuple qui recasait les rois, les reines, les princes et les princesses dans les contes de fées.

Son château tombait en ruine. Les jours de pluie, dans l'immense salle à manger, lui et sa famille mangeaient leurs maigres repas avec leur main gauche, car la main droite était réservée à tenir un parapluie troué auquel il manquait la moitié des baleines. Oh, ce n'était pas vraiment grave. On peut très bien manger les macaronis avec une seule main. Il n'y avait plus d'argent pour réparer le toit, pour repeindre les murs noircis par les siècles, pour chauffer la gigantesque demeure pendant l'hiver, et ils avaient souvent l'impression douloureuse de vivre à l'intérieur d'un congélateur quatre étoiles.

Il n'y avait plus d'employés – ni valets, ni cuisiniers, ni gouvernantes, ni jardiniers. Les derniers à

être renvoyés avaient été les tuteurs
de la princesse qui venaient tous les

jours lui donner des leçons de latin, de grec, d'anglais, d'allemand, de russe et d'italien. Ce fut avec des larmes aux yeux qu'elle leur dit à tour de rôle : vale ! εοτοχει, good-bye, auf wiedersehen, до свиданя, et ciao.

La vie de la princesse Alyestère n'était pas drôle. Son père faisait les cent pas toute la journée, ce qui devait faire un total de dix mille pas par heure. Il fronçait les sourcils, plissait le front, raclait sa royale gorge et disait quatre-vingts fois par jour à sa fille unique : « N'oublie pas que tu es une princesse ! »

Sa mère, la reine Fortuna, n'était

pas aussi active que son père. Elle restait au lit pratiquement tout le temps sous l'énorme édredon rapiécé. Quand elle se retournait, les ressorts rouillés du sommier grinçaient et le moindre soupir faisait voler les plumes d'oie comme des confettis égarés. Elle gémissait chaque fois qu'Alyestère venait la voir : «N'oublie surtout pas que tu es une princesse !»

La princesse Alyestère aurait eu bien du mal à oublier ce détail. Elle avait même l'impression que ça pouvait être la cause de sa solitude. Son père avait l'air blessé quand elle lui répondait : «Oui, je suis une princesse, et alors, qu'est-ce que ça me rapporte?» Il poursuivait ses va-et-vient à travers le château.

Depuis le départ de ses professeurs, elle n'avait strictement rien à faire, sauf de tenter d'éviter son père le roi et sa mère la reine, et d'essayer de ne pas se geler les orteils. Elle ne connaissait le mot «ami» dans aucune langue – elle n'en avait jamais eu. «Sports», «jeux» et «rires» étaient aussi du vocabulaire inconnu, et bien qu'il y eût une télé au château, ça faisait longtemps qu'elle était en panne, peut-être bien avant la naissance de la princesse. Elle n'avait rien d'autre

à faire qu'à s'inventer des occupa-
tions solitaires : se raconter des his-
toires sordides et épouvantables,
s'imaginer sur une autre planète,
rêver d'être une princesse dans un
vrai royaume, dans un château
rénové, avec un prince souriant, loin
de ses pauvres parents. Avec une
corde effilochée elle sautait en
chantonnant des comptines sinistres.
Avec un morceau de charbon elle
dessinait une marelle. Avec de vieil-
les cartes à jouer elle gagnait des
parties et se prévoyait un avenir
plus gai que le présent.

Leurs seuls visiteurs étaient les
créanciers, jusqu'au jour où un

couple arriva en Rolls Royce, inspecta le château et l'acheta.

Alyestère était aux anges. Elle en avait assez de chacune des cin-

quante-sept pièces du château moyenâgeux-caverneux. Arrivée à leur nouveau palais, elle se trouva au septième ciel. C'était un appartement trois pièces, cuisine, salle de bains dans une vraie tour moderne. Du robinet, l'eau chaude et froide coulait à torrents. Elle tirait la chasse des cabinets rien que pour le plaisir d'entendre cette musique nouvelle. En plus, c'était chauffé.

Mais plus que la joie du parfait état de marche de la plomberie était la présence par leurs cris et clameurs des êtres humains à travers les murs en carton. Alyestère pouvait pratiquement suivre toute une émission de la télévision des voisins. Elle entendait les disputes du couple du dessous et les pas de danse frénétiques des jeunes du dessus. Et lorsque le roi Georges faisait ses dix mille pas, le couple bagarreur du dessous lui faisait un geste amical en frappant au plafond. C'était génial.

Du balcon, elle voyait mille

signes de vie : des culottes et des chaussettes d'autres petits êtres étaient suspendues à des cordes à linge sur les balcons, des voitures vrombissaient, et dans des tours proches d'autres hommes et femmes étaient assis devant leurs bols de café au lait. Ce qui était moins agréable dans leur nouveau loge-

ment, c'est qu'elle croisait mille fois par jour ses parents, le roi Georges CXIV et la reine Fortuna, qui ne rataient pas une occasion de lui dire, on ne sait pas pourquoi : « N'oublie pas que tu es une princesse ! »

Entre le spectacle de la rue et les rumeurs de l'immeuble, Alyestère ne s'ennuyait plus. La présence de ses semblables était là comme une promesse de rencontre. N'empêche que la tour se vidait tous les matins à l'aube de tout sauf du trio royal et les journées étaient moins animées.

Elle regrettait particulièrement le départ des plus petits locataires et se demandait où pouvaient bien aller ces enfants qui partaient emmitouflés dans des anoraks et courbés sous des baluchons rectangulaires. Ils partaient avec la régularité de l'horloge vers une destination mystérieuse où la princesse Alyestère voulait les accompagner.

Ses parents lui permettaient pourtant de sortir chercher un litre de lait, une boîte de sardines ou une baguette, toujours en lui répétant : « N'oublie pas que tu es une princesse. » La princesse profita d'une de ces excursions pour suivre une bande d'enfants dans leur trajet joyeux. Ils arrivèrent devant un

bâtiment délabré entouré d'une grille en fer forgé. Alyestère aurait donné sa couronne en or pour avoir la chance d'entrer avec eux dans la cour où ils sautaient, couraient, criaient, puis se calmaient d'un coup de baguette magique, se mettaient en rangs serrés et suivaient une dame ou un monsieur à l'inté-rieur. De sa cachette derrière un buisson, elle les voyait disparaître et elle était jalouse. Eux, ils allaient s'amuser ensemble dans cette gran-de maison en ciment, alors qu'elle n'avait rien d'autre à faire qu'à se rappeler qu'elle était une prin-cesse.

Elle les suivait tous les jours.

Sa jalousie grandissait. Était-ce parce qu'elle était une princesse qu'elle devait ainsi souffrir ? Elle les espionnait sans même se rendre compte qu'ils étaient différents d'elle. Personne d'autre n'avait une longue robe flottante à traîne ornée de volants de mousseline. Personne d'autre ne portait une crinoline qui gonflait la jupe aux proportions d'un demi-ballon. Personne n'avait de manches en dentelle, garnies de rubans. Non, elle ne savait pas que, pour ces êtres en toile de jean et en velours côtelé, ses tulles, ses broderies, ses souliers en soie apparte-

naient à un livre d'histoire du XVIIIe siècle ou à un musée de la mode ou à un bal costumé, mais pour Alyestère c'était entièrement, complètement et totalement normal, car elle était, après tout, une princesse.

Pendant qu'eux faisaient des galipettes et des croche-pieds, la princesse rêvait derrière le buisson de se joindre à eux. Un beau lundi, une petite fille dans la cour la repéra dans sa cachette. D'abord elle n'en crut pas ses yeux et puis elle courut vers la grille pour être sûre que ce n'était pas un mirage. «Qu'est-ce que tu fais là?» demanda-t-elle.

«Je vous regarde.»

«Quel âge as-tu?»

«Huit ans.»

«Pourquoi tu ne vas pas à l'école?»

«Parce que je suis une princesse, je pense.»

«Ça se voit», dit la fille exaspé-
rée, «mais à mon avis, même les
princesses doivent aller à l'école.»

À cette nouvelle extraordinaire,
un immense sourire d'espoir s'ouvrit
sur le visage d'Alyestère: «Comment je peux faire pour aller à
l'école?»

«Tu n'as qu'à venir! Viens!»

Mais le portail était fermé à clef et il n'y avait pas moyen de grimper avec sa longue robe à traîne. Ce faux espoir fit venir à ses yeux des larmes perlées qui coulèrent doucement.

«Ne pleure pas, imbécile. Tu reviendras demain à huit heures.»

Alyestère s'en alla, heureuse. «Imbécile», quel beau mot! Elle ne l'avait jamais entendu. «Je suis deux choses: une princesse et une imbécile.» Elle était ravie de ne plus être que princesse.

Le lendemain, mardi, elle se leva tard, à la mode des princesses. Quand elle arriva au portail, il était déjà fermé. La petite fille de la veille lui dit : « Tu es une andouille ! Je t'ai bien dit huit heures. »

La princesse s'en alla, déçue. « Je suis une princesse, c'est vrai, mais aussi une imbécile et une andouille. Je reviendrai demain. »

Elle bondit de son lit à l'aube pour ne pas risquer une seconde de retard. Elle s'enfuit de l'apparte-ment avant le réveil tonitruant du roi et de la reine. Mais cette fois, aux abords du portail, il n'y avait personne – pas d'enfants et pas d'adultes. La cour était un champ de bataille sans soldats et sans guerre. Le bâtiment, une scène de théâtre sans acteurs et sans pièce. Alyestère se sentait abandonnée. Elle ne comprenait pas avant qu'un passant ne lui dise : « Aujourd'hui c'est mercredi. L'école est fermée. »

Elle rentra avec des croissants chauds pour ses parents royaux et passa sa journée à rêver du lendemain. Il fallait absolument qu'elle arrive à pénétrer dans cet édifice de délices.

Une fois de plus elle s'y rendit très tôt avant tout le monde. Quand les enfants arrivèrent, elle se glissa dans la cour avec eux en essayant de ne pas se faire remarquer, ce qui n'est pas tellement évident quand on

porte une houppelande en velours rouge grenade. Curieusement, personne ne lui dit rien et elle put se mettre en rang avec son énorme capuchon et son espoir grandissant d'entrer enfin.

Elle baissa les yeux comme si son propre aveuglement la rendait invisible, et le cœur battant, elle suivait les pas de celui qui se trouvait devant elle.

Sur le seuil de la porte, une dame l'arrêta : « Qu'est-ce que tu fais là ? Tu n'es pas chez moi ! »

« Je voudrais venir aussi, Madame, s'il vous plaît. »

« Tu habites le quartier ? »

«Oui, on vient d'emménager par ici.»

«Il faut que tes parents viennent t'inscrire avec tous les papiers.»

Alyestère s'en alla, découragée mais déterminée à prendre Sa Majesté son père par la main et à l'amener voir la dame. Ça n'allait pas être facile, barricadé comme il l'était dans la tour. Le roi Georges CXIV avait perdu le goût de vivre. Il restait enfermé toute la journée à réfléchir au bon vieux temps, quand les rois et les reines, les princes et les princesses régnaient sur un peuple docile et affectueux.

Elle l'interrompit dans sa réflexion

en disant : «Papa, il faut que vous veniez m'inscrire cet après-midi. »

«Où veux-tu, ma princesse adorée ? »

«Là où tous les enfants vont tous les jours. »

«Où ? »

«Ça s'appelle l'école, je crois. Ils y vont tous, avec un gros paquet sur le dos. Ils jouent et puis ils entrent dans un palais où ils passent la journée à s'amuser. »

«Tu veux dire l'école du quartier ? L'école de la République ? Ce n'est pas pour toi ! Ce n'est pas pour une princesse ! »

«S'il vous plaît, Papa. Ils ont l'air

si heureux. Je suis jalouse. Je voudrais tant y aller.»

«Pas question, un point c'est
tout.»

La princesse essaya par tous les
moyens de convaincre son père mais
sans succès. Elle fut obligée d'avoir
recours à l'ultime argument, une

crise de nerfs avec cris et larmes, puis sanglots et roulements par terre.

S'il y avait quelqu'un qui rattachait encore le roi à la vie, c'était bien sa fille, et comme tous les bons papas, il voulait lui faire plaisir, même si ça faisait un peu mal à ses principes. Alors il enleva ses pantoufles royales et sa robe de chambre, s'habilla avec soin, et sortit majestueusement en direction de l'école. Quand il vit le nom sur le bâtiment, *École Saint-Just*, il fit volte-face.

«Mais venez, Papa, qu'est-ce que vous avez?»

«Non, ce n'est pas possible! Ce n'est pas pour les princesses!»

«Vous avez tous les papiers?»

«Oui.»

«Venez.» Elle lui tira la main comme s'il n'était qu'un chien désobéissant en laisse.

Le roi Georges CXIV pâlit, racla sa royale gorge et déclara avec arrogance à Madame la directrice : « Je viens inscrire ma fille, la princesse Alyestère. »

« Très bien, Monsieur. » Elle prit les papiers, nota les noms et les chiffres, dit gravement : « Je crois que vous feriez mieux de l'habiller d'une façon plus confortable. »

Le roi racla deux fois sa gorge et proclama comme si lui seul en avait été responsable : « C'est un pays libre, il me semble. »

« Parfaitement ! » répondit la directrice sèchement.

Alyestère s'habilla comme d'habitude. Elle n'y tenait pas tellement, mais elle n'avait pas autre chose dans sa garde-robe que des soies et des taffetas.

Avant de partir, son père et sa mère lui dirent en chœur, comme si c'était la fin du monde : « N'oublie pas que tu es une princesse. »

La petite fille qui l'avait si gentiment informée qu'elle était une imbécile et une andouille l'invita à jouer.

« Comment tu t'appelles ? »

« Alyestère, et toi ? »

« Laurence. On fait la course ? »

Laurence se mit à courir. Alyestère essaya de suivre, mais elle trébucha sur sa traîne qui se déchira un peu. Elle fut surprise par un

garçon qui souleva sa jupe et se cacha sous sa royale crinoline. Elle ne voulait pas être mal polie, mais elle n'était pas ravie d'avoir un garçon sous sa jupe. Ce fut Laurence qui le chassa.

Tant qu'elle était assise à sa table, s'appliquant à chaque tâche que la maîtresse distribuait, tout se passait bien. Après tout, elle connaissait déjà six langues et le reste n'était pas si difficile. C'est seulement quand elle se leva et que tous ces mètres de tissu frôlèrent tout le monde alentour qu'elle se rappela subitement qu'elle était une princesse et elle ne sut pas quoi en faire.

Au bout de quelques semaines,
après une journée d'école, Laurence
lui demanda à brûle-pourpoint :
« Pourquoi tu te déguises ? »

« Je ne me déguise pas. Je suis
une princesse. »

Le papa de Laurence l'attendait
dans une voiture en forme d'œuf.

Il klaxonna et cria à sa fille:
«Comment va ma princesse?»

Pour Alyestère, ce fut un choc. «Tu veux dire que toi aussi tu es une princesse?»

«Tu es vraiment une nouille! Bien sûr que j'en suis une! Toutes les petites filles sont des princesses... aux yeux de leurs papas.»

Alyestère fut soulagée par cette nouvelle. Elle ne se sentait plus aussi seule dans sa condition de princesse.

«Alors», demanda-t-elle, «quand tu pars à l'école, ton papa te dit aussi: *N'oublie pas que tu es une princesse?*»

«Non, il me dit: *Au revoir ma princesse.*»

Son retour à la maison causait toujours des drames. Ses broderies majestueuses étaient déchirées, ses escarpins en soie étaient pleins de boue, sa houppelande était éclaboussée.

Sa mère disait chaque jour : « Tu ne retourneras plus à cet endroit. Ce n'est pas pour une princesse. »

« Mais si, justement », insista Alyestère, « il y a plein de princesses dans ma classe. »

« Ils ne respectent rien ! » poursuivit sa mère sans l'écouter.

« Au contraire, Mère. Levez-vous s'il vous plaît. Il faut que vous veniez m'acheter des tennis. Je ne

peux pas courir avec ces maudits escarpins.»

Devant l'impatience de sa fille, la reine Fortuna quitta son royal lit et fit le voyage jusqu'au centre commercial le plus proche pour se procurer une paire de tennis. «Heureusement qu'on ne les voit pas sous ta longue jupe», soupira-t-elle.

Alyestère élimina la crinoline et courut ainsi beaucoup mieux avec les tennis, mais sa jupe l'empêchait d'améliorer son record. Elle emprunta les ciseaux de la maîtresse et coupa tous les volants de sa jupe, ce qui lui enleva d'un coup presque

toute son allure de princesse. Ce n'était pas pratique d'être une princesse à l'école. Elle préférait rester la princesse de son papa, comme Laurence.

Sa mère accepta petit à petit de lui acheter un jean, des pulls, des chaussettes, et tout l'attirail des non-princesses. La reine Fortuna commençait à aimer s'aérer dans le centre commercial et convainquit même son royal mari de venir y faire un tour. Il y vit tant de belles choses à acheter que ça lui donna envie de travailler.

Tout le monde aurait oublié qu'Alyestère était une princesse s'il n'y avait eu la minuscule couronne qu'on lui avait offerte à sa naissance et qui restait en permanence sur sa tête, perchée en haut comme si elle y était collée. Elle l'enlevait seulement pour se laver la tête et se

coiffer. Quelques garçons s'amusaient à l'envoyer en l'air comme un ballon de football. Quelques filles l'essayaient à tour de rôle. Mais la plupart du temps, elle n'y pensait pas. C'était juste comme ses cheveux, sa peau ou ses oreilles. Et puis, même la couronne devint invisible pour ses camarades de classe.

Elle avait beaucoup d'amis qui venaient chez elle après l'école. Sa mère ne restait plus au lit toute la journée tellement elle était occupée à préparer des goûters royaux. Son père devint un membre actif de l'association des parents d'élève de l'*École Saint-Just* et même obtint des améliorations considérables de la cantine et de la façade du bâtiment. Il trouva un bon poste dans une administration. Et il acheta une télévision.

S'il disait encore quelquefois: «N'oublie pas que tu es une princesse», il avait de la peine à se rappeler qu'il était un roi. Il s'étendait sur le canapé du salon-salle-à-manger et s'endormait devant le journal télévisé, et il ronflait royalement.

Alyestère ne se sépara pas de sa couronne qui, de temps en temps, quand il lui arrivait de se gratter la tête, lui rappelait qu'elle était surtout un être humain, même si elle était une princesse, et qu'elle était quand même une princesse, même si elle était un être humain.